中国原创图画书

小 熊拔牙

柯 岩／著　　朱丹丹　倪 靖／绘

中国作家协会儿童文学委员会 选编

教育部全国语文教材委员会委员 金波 顾问

中国作家协会副主席 高洪波 主编

中国少年儿童新闻出版总社
中国少年儿童出版社
北 京

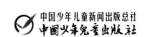

人　物　狗熊妈妈　小熊　小白兔医生
　　　　小巴狗　小花猫　大尾巴松鼠　小鸟

妈　妈　　我是狗熊妈妈。
小　熊　　我是狗熊娃娃。
妈　妈　　我长得又胖又大，
小　熊　　我就像我妈妈。

妈　妈　　妈妈要去上班，
小　熊　　小熊在家玩耍。

妈　妈　　不对，你要先洗脸……
小　熊　　嗯嗯……好吧，洗一下。
妈　妈　　不对，你还要刷牙……
小　熊　　嗯嗯……好吧，刷一下。

妈 妈　　不对，要好好地刷，
　　　　　还有……

小 熊　　还有，还有……
　　　　　什么也没有啦！

6

妈　妈　不对，想想吧！
　　　　　不自己拿饼干，
　　　　　不自己拿⋯⋯
小　熊　好啦，好啦，
　　　　　都知道啦！
　　　　　不许拿饼干，
　　　　　不许吃甜瓜，
　　　　　不许抓糖球，
　　　　　还不许打架⋯⋯

（小熊用脑袋把妈妈往门口顶，妈妈疼爱地戳
一下他的额头，出去了）

小　熊

妈妈走了，啦啦啦，
现在我当家，啦啦啦；
先唱个小熊歌，
1 2 3 4，哇呀呀呀，呀！
再跳个小熊舞，
5 4 3 2，蹦蹦蹦蹦，跶！

小　熊　　哎呀，答应过妈妈洗脸呀！
　　　　　　先洗洗小熊眼，
　　　　　　再擦擦熊嘴巴；

小　熊　　熊鼻子抹一抹，
熊耳朵拉两拉；
熊头发梳三下，
嗯，就不爱刷牙。

小　熊　　饼干拿一叠……
　　　　　　唉，答应过不吃它。
　　　　　　糖球抓一把……
　　　　　　唉，答应过不吃它。
　　　　　　这罐甜蜂蜜，
　　　　　　哈，没说过不吃它，
　　　　　　这瓶果子酱，
　　　　　　哈，妈妈也忘了提它。

小　熊　先吃一勺蜜，真甜！
再吃一勺酱，真鲜！
勺儿才舀一点点，
不如盛上一小盘，
越吃越想吃，
干脆添一碗。
一勺，一盘，一大碗，
吃完挨个儿舔三舔……

小　熊　　小熊吃得真高兴，
　　　　　　小熊吃得肚子圆。
　　　　　　啦啦啦，甜到舌头底，
　　　　　　啦啦啦，甜到牙齿尖。

17

小 熊　哎呀呀，唑，唑，唑，
怎么甜变成了酸？
酸到舌头底，
酸到牙齿尖。

哎呀呀，唑，唑，唑，
怎么酸变成了疼？
疼得没法儿办。
哎哟，哎哟，
疼得小熊直打转；
哎哟，哎哟，
疼得小熊直叫唤。

小　兔　身穿白衣裳，
　　　　手提医药箱。
　　　　每天给人去看病，
　　　　小兔大夫真正忙。

小　熊　大夫，大夫！快来呀！
　　　　牙齿疼得像针扎……

20

小　兔　你先别哎哟，
　　　　别直着嗓子叫。
　　　　嘴巴张开来，
　　　　让我瞧一瞧。
　　　　唉，你的牙齿真不好。
　　　　唔，这一颗要补一补，
　　　　唔，这一颗嘛，要拔掉。

23

小　兔　你坐好，唉，我够不着，
　　　　你怎么长得这么高？
　　　　搬个板凳当梯子，
　　　　爬上去给你打麻药。

小　兔　哎，你坐好，别害怕，
　　　　钳子夹牢才能拔。
　　　　……拔呀，拔，拔不动它，
　　　　你这颗牙齿怎么这么大？

小　熊　　哎哟哟，快拔掉，
　　　　　你怎么长得这样——小？

二　人　　小狗小狗快快来，
小　狗　　汪汪汪，我来了。

三　人　帮助快把牙拔掉。
　　　　拔呀，拔，拔不动……
　　　　你这颗牙齿怎么这么重？
小　熊　哎哟哟，快拔掉，
　　　　疼得小熊眼泪冒。

三　人　　小猫小猫快快来，
小　猫　　喵喵喵，我来了。

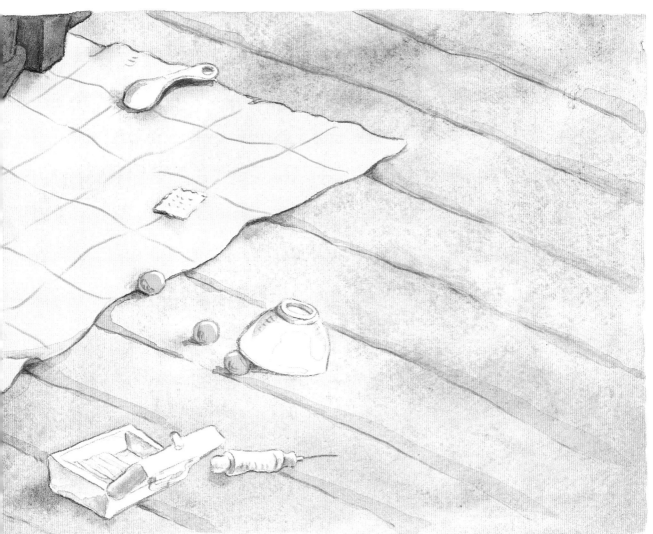

四　人　　帮助快把牙拔掉。

　　　　　　拔呀，拔，哎呀！

　　　　　（众差一点儿跌倒）

小　兔　　夹碎了……

　　　　　　你这颗牙齿都烂透了。

小　熊	哎哟哟，快拔掉， 疼得小熊双脚跳。
四　人	松鼠松鼠快快来，
松　鼠	吱吱吱，我来了。

五　人　　帮助快把牙拔掉。
　　　　　　拔呀，拔，还是拔不动，
　　　　　　你这颗牙齿可真要命。
小　熊　　哎哟哟，快拔掉，
　　　　　　我实在疼得受不了。

五　人　　小鸟小鸟快快来，
小　鸟　　叽叽叽，我来了。

六　人　帮助快把牙拔掉。
拔呀，拔，拔不掉，
一二，一二，一二，
哎佐，哎佐，哎佐哟！
(咕咚！大家摔倒在地)
总算拔掉了。

小　兔	现在还疼吗？
小　熊	嘻，一点儿也不疼了。
小　兔	好，现在涂上一点儿药。
	以后牙齿要保护好，
	要不一颗一颗都要烂，
	一颗一颗都要这样来拔掉。
小　熊	嗯嗯，我不来，
	嗯嗯，我不干，
	为什么光叫我牙疼，
	你们牙齿都不烂？

小　兔　　我们从来不挑食，
小　狗　　汪汪汪，从来不多吃甜饼干；
小　猫　　喵喵喵，也不偷把蜂蜜吃；
松　鼠　　吱吱吱，也不偷把果酱舔；
小　鸟　　也吃菜，也吃饭；
小　猫　　也吃鱼；
小　狗　　也吃蛋；
松　鼠　　也吃胡萝卜；
小　鸟　　也吃棒子面……

40

众　　该吃什么吃什么，
　　　　牙齿每天刷几遍。

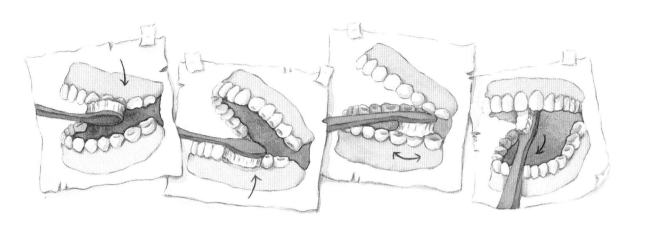

小　熊　那……以后我也不挑食，
　　　　每天也把牙齿刷几遍。

小　兔　这样刷，这样刷，（示范）
　　　　上上下下、里里外外都刷遍。

小　熊　（学着）这样刷，这样刷，
　　　　上上下下，里里外外都刷遍。

小　兔　　说到一定要做到，
　　　　　　省得把牙齿全拔光。

小　熊　　说到一定要做到，

众　　　　千万别把牙齿全拔光。

图书在版编目（CIP）数据

小熊拔牙 / 柯岩著 ；朱丹丹，倪靖绘．— 北京 ：
中国少年儿童出版社，2011.5
　　（中国原创图画书）
　　ISBN 978-7-5148-0110-1

　　Ⅰ．①小… Ⅱ．①柯… ②朱… ③倪… Ⅲ．①图画故
事－中国－当代 Ⅳ．①I287.8

中国版本图书馆CIP数据核字(2011)第030456号

XIAOXIONG BAYA
（中国原创图画书）

出 版 发 行：中国少年儿童新闻出版总社
中国少年儿童出版社

出 版 人：李学谦
执行出版人：张晓楠

策　　划：张　楠　徐寒梅	装帧设计：陈泽新
责任编辑：房阳洋　徐新艳	审　读：聂　冰
美术编辑：马　靖　王　双	责任校对：张　静
责任印务：杨顺利	

社　　址：北京市东四十二条21号　　　　邮政编码：100708
总 编 室：010-64035735　　　　传　真：010-64012262
发 行 部：010-63908100　010-63908092
http://www.ccppg.com.cn　　E-mail:zbs@ccppg.com.cn

印刷：北京利丰雅高长城印刷有限公司　　　经销：新华书店

开　本：787×1370　1/24　　　　　　印　张：2
2011年5月第1版　　　　　　　　2011年5月北京第1次印刷
　　　　　　　　　　　　　　　　印　数：8000册

ISBN 978-7-5148-0110-1　　　　　　定价：12.80元

图书若有印装问题，请随时向印务部退换。